M000121943

Level 4

¡Avancemos!

Cuaderno

Level 4

¡Avancemos!

Cuaderno

McDougal Littell
A DIVISION OF HOUGHTON MIFFLIN COMPANY
Evanston, Illinois • Boston • Dallas

Copyright © by McDougal Littell, a division of Houghton Mifflin Company.
All rights reserved.

Warning: No part of this work may be reproduced or transmitted in any form or by
any means, electronic or mechanical, including photocopying and recording, or by any
information storage or retrieval system without the prior written permission of McDougal
Littell unless such copying is expressly permitted by federal copyright law. Address
inquiries to Supervisor, Rights and Permissions, McDougal Littell, P.O. Box 1667,
Evanston, IL 60204.

ISBN-10: 0-618-74994-2
ISBN-13: 978-0-618-74994-2

 3456789 -DOM- 10 09 08

CONTENIDO

UNIDAD 2   *13*

Actividades para escribir   *13*

Actividades para el laboratorio   *21*

Actividades de video   *23*

UNIDAD 3   *25*

Actividades para escribir   *25*

Level 4

¡Avancemos!

Cuaderno

Unidad **1**

ACTIVIDADES PARA ESCRIBIR

Gramática

Los verbos *ser* y *estar*

La vida de Carlos. Carlos Saldívar habla de sí mismo (*about himself*). Completa lo siguiente, usando el presente de indicativo o el infinitivo de **ser** o **estar**.

Yo _____ Carlos Saldívar. _____ chileno;

_____ de Valparaíso, pero ahora mis padres y yo

_____ en Santiago. Mi padre _____ médico y mi

madre _____ agente de seguros. Los dos _____ muy

inteligentes y cultos (*educated*). En este momento (ellos) _____ de

viaje por Europa. Yo les _____ escribiendo una carta.

Yo _____ soltero, pero tengo novia. Hoy _____

el cumpleaños de ella y da una fiesta. La fiesta _____ en la casa de sus

padres. ¡Caramba! Ya _____ las siete y tengo que _____

listo a las ocho para ir a su casa. Yo siempre trato de _____ puntual.

Hoy _____ de buen humor porque saqué una buena nota en un examen

y porque voy a bailar con mi novia. ¡La verdad _____ que

_____ muy contento!

Copyright © McDougal Littell, a division of Houghton Mifflin Company.

Pronombres de complemento directo e indirecto usados juntos

La secretaria ideal. Elena es la secretaria ideal. Ella hace todo lo que se necesita en la oficina. Teniendo esto en cuenta, di de qué se encarga Elena.

> **MODELO:** El supervisor necesita que le traduzcan unas cartas.
> *Elena se las traduce.*

1. El jefe de ventas necesita que le traigan unos informes.

_____

2. Yo necesito que me den los documentos.

_____

3. Nosotros necesitamos que nos preparen el café.

_____

4. Los jefes de departamento necesitan que les manden la lista de los empleados.

_____

5. Tú necesitas que te compren estampillas.

_____

6. Yo necesito que me envíen la solicitud del Sr. Paz.

_____

Usos y omisiones de los artículos definidos e indefinidos

Una carta de Gloria. Gloria le escribe a Alicia una carta en la que le cuenta muchas cosas. Complétala, usando el equivalente español de lo que aparece entre paréntesis.

13 de marzo

Querida Alicia:

¡Hace mucho que no sé nada de ti! ¿Cómo te va en el nuevo empleo? Yo empiezo a

trabajar en una compañía de seguros _____ (*next week*). Trabajo

de lunes a jueves y tengo _____ (*Fridays*) libres. Me van a pagar

_____ (*one hundred*) dólares al día, más una comisión. Como

voy a ganar más dinero, me voy a comprar _____ (*another car*).

¡Una buena noticia! ¡Ya tengo _____ (*a boyfriend*)! Es

_____ (*a professor*) en una universidad, y es un encanto. Habla

Copyright © McDougal Littell, a division of Houghton Mifflin Company.

portugués, y tú sabes cómo me gusta _____ (*Portuguese*).

   Mi hermano consiguió un buen empleo. Trabaja _____

(*as a secretary*) para _____ (*Mr. Lovera*). Trabaja solamente

_____ (*half a day*) y después estudia. Mi hermanita sigue en

_____ (*school*).

   Bueno, te dejo porque _____ (*my head hurts*) y me voy a

acostar un rato.

Cariños,

Gloria

P.D.[1] ¿Te acuerdas de tu maestra, _____? (*Miss Soto*) Siempre

la veo en _____ (*church*). Te manda saludos.

Usos de las preposiciones *por* y *para*

Conversando. Completa el diálogo entre Julia y Anita con el equivalente español de las palabras que aparecen entre paréntesis:

Julia: —¿_____ vas a estar en México, Anita?

   (*For how long*)

Anita: —_____. Tengo que estar de vuelta

   _____. (*For a week / by August*)

Julia: —¿_____? (*What for*)

Anita: —Para empezar a trabajar en la universidad. _____

   mis vacaciones se terminan a fines de julio. (*Unfortunately*)

Julia: —Vas _____, ¿verdad? (*by plane*)

Anita: —Sí, no puedo ir en coche porque no tengo tiempo. ¡Tuve que pagar

   ochocientos dólares _____! (*for the ticket*)

Julia: —¿Viste a Marisa? Necesito verla _____ con

   ella. (*in order to speak*)

Anita: —Sí, ella sale _____ mañana

   _____. (*for Paris / in the morning*)

---

[1]**Post Data:** *P.S.*

Copyright © McDougal Littell, a division of Houghton Mifflin Company.

Julia: —A ella le encanta París. Le gusta _____ las

calles elegantes y los parques. Si pudiera, se quedaría a vivir allí

_____ . (*walk along / forever*)

Anita: —¡Ay!, me olvidé _____ de que tenía que

ayudar a Pablo a hacer un trabajo. No tenemos mucho tiempo y el trabajo

todavía _____ . (*completely / is to be done*)

Julia: —Bueno, hablando de otra cosa... ¿Por qué no fuiste a la fiesta de Teresa?

Anita: —No pude ir _____ . (*because of the rain*)

Julia: —¡Ay, Anita! Yo iba a _____ , pero te llamé y

tú no estabas en tu casa. Además, ¡no era _____!

(*pick you up / that bad*)

Anita: —Fui a la tienda para comprar un regalo _____

. Le compré un libro de poemas _____

Emily Dickinson. (*for my mother / written by*)

Julia: —Pues yo bailé toda la noche... Conocí a Rogelio, que estudia

_____ . Hablamos muchísimo. (*to be a*

medical doctor)

Vocabulario

A. Haz un circulo alrededor de la palabra o frase que mejor complete cada oración.

1. Tengo que llenar la planilla con (gerente, letra de molde, hoja de cálculo).

2. Antes de darme el puesto, necesitan referencias de (mis antecedentes académicos, mi

antiguo jefe, mi solicitud).

3. Voy a poner las carpetas en (la grapadora, la presilladora, el archivo).

Copyright © McDougal Littell, a division of Houghton Mifflin Company.

4. Si no vas a la clase te vas a (atrever, atrasar, enfermar).

5. ¿Qué puesto (desempeña, archiva, domina) usted en esa compañía?

6. Mi papá piensa (atreverse, jubilarse, atrasarse) a los sesenta y cinco años.

7. En el hospital le van a preguntar si tiene seguro de (vida, salud, automóviles).

B. Tú tienes que escribirles a las siguientes personas. Indica qué frases vas a usar: (a) para empezar y (b) para terminar cada una de las cartas.

1. a tu mejor amigo(a)

   a. _____

   b. _____

2. a un profesor de la universidad

   a. _____

   b. _____

3. al administrador de una compañía en la que vas a solicitar empleo

   a. _____

   b. _____

4. a un(a) conocido(a) (*acquaintance*)

   a. _____

   b. _____

Copyright © McDougal Littell, a division of Houghton Mifflin Company.

C. Crucigrama

Copyright © McDougal Littell, a division of Houghton Mifflin Company.

HORIZONTAL

2. Es _____ de libros.
3. En California, es una buena idea tener seguro contra _____ .
8. *manager,* en español
10. con cordialidad
13. Necesitamos sus _____ académicos.
14. Debe llenarla con _____ de molde.
16. persona que trabaja en una oficina
18. sacacopias
20. retirarse
21. contraer una enfermedad
22. Hay muchos _____ para este trabajo.

VERTICAL

1. trabaja en _____ públicas
4. Necesito una _____ de escribir.
5. lo que se llena cuando se pide un trabajo
6. datos personales: _____ personales
7. lo opuesto de "comprador"
9. estar a cargo de algo
11. En un lugar donde llueve mucho es bueno tener un seguro contra _____ .
12. Probablemente trabaja en Wall Street, en Nueva York.
15. pedir
17. soñar: hacerse _____
19. cajón

D. Para escribir. Escríbele una carta a un amigo, describiéndole tu lugar de trabajo (oficina, tienda, etc.) y háblale de las personas con quienes trabajas. (Si no trabajas, describe un trabajo ideal.)

_____

_____

_____

_____

_____

_____

_____

_____

_____

_____

Copyright © McDougal Littell, a division of Houghton Mifflin Company.

ACTIVIDADES PARA EL LABORATORIO

Gramática

A. Create a sentence from the words you hear by using the present indicative of **ser** or **estar** as appropriate. The speaker will verify your response. Repeat the correct answer. Follow the model.

> **MODELO:** Carlos / chileno
> *Carlos es chileno.*

B. Answer the questions in the affirmative, substituting direct object pronouns for the direct objects. The speaker will verify your response. Repeat the correct answer. Follow the model.

> **MODELO:** —¿Tú me traes las carpetas?
> —*Sí, te las traigo.*

C. Answer the questions, using the cues provided. Pay special attention to the use of definite and indefinite articles. The speaker will verify your response. Repeat the correct answer. Follow the model.

> **MODELO:** —¿Cuándo viene tu jefe? (semana próxima)
> —*Viene la semana próxima.*

D. Answer the questions about Andrés, using the cues provided and the prepositions **por** or **para**. The speaker will verify your response. Repeat the correct answer. Follow the model.

> **MODELO:** —¿Para qué compañía trabaja Andrés? (la compañía Sandoval)
> —*Trabaja para la compañía Sandoval.*

Diálogos

You will hear three dialogues, a note, and a description. Listen to each of them twice. Pay close attention to their content and also to the intonation and pronunciation patterns of the speakers.

DIÁLOGO 1   DOS AMIGAS

Ejercicio de comprensión. The speaker will ask you some questions about what you have heard. Answer them, always omitting the subject. The speaker will verify your response. Repeat the correct answer.

DIÁLOGO 2   EL ENCUENTRO

Ejercicio de comprensión. The speaker will ask you some questions about what you have heard. Answer them, always omitting the subject. The speaker will verify your response. Repeat the correct answer.

Copyright © McDougal Littell, a division of Houghton Mifflin Company.

DIÁLOGO 3   OLGA

Ejercicio de comprensión. The speaker will ask you some questions about the dialogue. Answer them, always omitting the subject. The speaker will verify your response. Repeat the correct answer.

EL SR. ORTEGA

Ejercicio de comprensión. The speaker will ask you some questions about the note. Answer them, always omitting the subject. The speaker will verify your response. Repeat the correct answer.

ROBERTO CASAS

Ejercicio de comprensión. The speaker will ask you some questions about Roberto Casas. Answer them, omitting the subject and paying special attention to the use of the definite and indefinite articles. The speaker will verify your response. Repeat the correct answer.

¿Lógico o ilógico?

The speaker will make some statements. Circle **L** if the statement is logical and **I** if the statement is illogical. The speaker will verify your response.

1. L I	3. L I	5. L I	7. L I	9. L I
2. L I	4. L I	6. L I	8. L I	10. L I

Para escuchar y escribir

Toma nota. You will now hear a conversation between two friends who are talking about a job interview that one of them is having. First, listen carefully for general comprehension. Then, as you listen for a second time, fill in the information requested.

LA ENTREVISTA DE SARA

Fecha de la entrevista: _____

Puesto que solicita: _____

Sueldo: _____

Tiempo completo: _____   Medio tiempo: _____

Experiencia: _____

Referencias: _____

Idiomas: _____

Copyright © McDougal Littell, a division of Houghton Mifflin Company.

ACTIVIDADES DE VIDEO

¡Estamos de vacaciones!

Antes de ver el video

¿Quiénes, dónde, qué...? Para que tú tengas una idea de lo que vas a ver, te damos la siguiente información.

Personajes: Isabel y Carlos (marido y mujer)

Están en: el comedor de su casa

Hablan de: seguros • la entrevista de Carlos • si Carlos consigue el puesto o no • lo que necesita Isabel • las ideas y los planes de Carlos

Después de ver el video

¿Quién lo dice? Indica quién dice lo siguiente.

1. _____ Hoy viene el agente de seguros a hablar con nosotros.

2. _____ ¿A qué hora vas a estar de vuelta hoy?

3. _____ Aquí nunca hay inundaciones...

4. _____ Pero yo me considero una persona lista, organizada, eficiente.

5. _____ Yo creo que te estás haciendo ilusiones.

6. _____ ¡No te imaginas lo antipático que es el jefe de personal!

7. _____ ¡Tú siempre le pides dinero prestado y nunca se lo devuelves!

8. _____ ¿Estás soñando? ¿Cómo podemos viajar ahora... ?

Comentarios. Con un(a) compañero(a), opinen sobre la personalidad de Carlos y la de Isabel. Digan también a cuál de los dos prefieren tener de amigo y por qué.

Tú y yo. Con un(a) compañero(a), hablen de lo siguiente.

1. los tipos de seguro que ustedes tienen y los que necesitan

2. cómo se sienten cuando tienen que ir a una entrevista y cómo se preparan

3. cómo se visten para ir a la entrevista

4. cómo reaccionan y qué hacen si

   a. consiguen el trabajo

   b. no consiguen el trabajo

Copyright © McDougal Littell, a division of Houghton Mifflin Company.

Unidad 2

ACTIVIDADES PARA ESCRIBIR

Gramática

El pretérito contrastado con el imperfecto

Minidiálogos. Completa lo siguiente, usando el pretérito o el imperfecto de los verbos que aparecen entre paréntesis.

1. —¿Qué hora _____ (ser) cuando tú _____

(llegar) a casa anoche?

— _____ (Ser) las ocho. No _____ (poder)

venir antes porque _____ (tener) que ir al mercado.

2. —¿Dónde _____ (vivir) ustedes cuando

_____ (ser) pequeños?

—Nosotros _____ (vivir) en Lima, pero cuando yo

_____ (tener) doce años, mi familia y yo

_____ (mudarse) a Bogotá.

3. —Anoche, cuando yo _____ (ir) a la biblioteca

_____ (ver) un accidente en la calle Tercera.

—¿_____ (Morir) alguien?

—No, no _____ (morir) nadie, pero _____

(haber) tres heridos.

4. —¿Qué te _____ (decir) el entrenador ayer?

—Me _____ (decir) que yo _____

(necesitar) practicar más.

Copyright © McDougal Littell, a division of Houghton Mifflin Company.

—¿Tú _____ (jugar) anoche?

—No, porque me _____ (doler) mucho la rodilla.

5. —¿_____ (Llover) mucho cuando tú

_____ (salir) de tu casa esta mañana?

—Sí, y _____ (hacer) mucho frío. Yo no

_____ (tener) ganas de ir a la oficina, pero

_____ (tener) que ir a trabajar.

Verbos que cambian de significado en el pretérito

Minidiálogos. Completa lo siguiente, usando el pretérito o el imperfecto de los verbos que aparecen entre paréntesis.

1. —¿Elena _____ (saber) que Roberto era uno de los jugadores?

—No, lo _____ (saber) ayer, cuando lo vio en el estadio.

—¿Habló con él?

—No, no _____ (querer) hablarle.

2. —¿Tú no _____ (conocer) al entrenador?

—No, lo _____ (conocer) anoche, en el estadio.

3. —¿Cuánto te _____ (costar) el billete a Cancún?

—Quinientos dólares.

—¿No viajaste a Lima?

—No, yo _____ (querer) ir, pero el pasaje

_____ (costar) más de mil dólares.

Comparativos de igualdad y de desigualdad

COMPARACIONES

A. Compara lo siguiente.

1. Carlos: 6'3" / Esteban: 6'3"

_____

2. Argentina / Paraguay

_____

Copyright © McDougal Littell, a division of Houghton Mifflin Company.

3. Eva: doce años / Aurora: quince años

_____

4. Daniel: cien libros / Héctor: cien libros

_____

5. El Hotel Hilton / El Motel 6

_____

6. La nota de Luis: "F" / La nota de Raúl: "D"

_____

B. Completa lo siguiente, usando el equivalente en español de las palabras que aparecen entre paréntesis.

1. Uruguay es _____ Suramérica.

(*the smallest country in*)

2. Luisa es _____ la clase.

(*the prettiest in*)

3. Estas lecciones son _____ libro.

(*the most difficult in the*)

4. José y Raúl son _____ la familia.

(*the least intelligent in*)

5. El examen fue _____ .

(*extremely difficult*)

Algunas preposiciones

Minidiálogos. Completa lo siguiente, usando las preposiciones **a, de, en** o **con,** según convenga.

1. —¿Cuándo llega Maribel _____ San José?

—El sábado _____ las diez _____ la

mañana. Empieza _____ trabajar el lunes.

—¿Viene _____ tren?

—No, viene _____ avión. Tengo un papel con el número del

vuelo _____ mi escritorio.

Copyright © McDougal Littell, a division of Houghton Mifflin Company.

2. —Ana quiere casarse _____ Guillermo, pero él no está enamorado

_____ ella.

—Lo sé, pero no me atrevo _____ decírselo.

—Si se lo dices, ella se va _____ negar

_____ creerlo. Va a pensar que se lo estás diciendo

_____ broma porque ella piensa que él sueña

_____ ser su esposo.

3. —¿Tú me vas _____ ayudar _____

terminar el trabajo?

—Pero tú siempre me dices que no necesitas _____ nadie.

—Es verdad. Voy _____ tratar _____

hacerlo yo sola.

4. —¿Vas _____ la conferencia? Es _____

el centro cívico y van a hablar _____ la música latina.

—Sí, y voy _____ llevar _____ Claudia.

—¿Claudia? No la conozco. ¿Cómo es ella?

—Es morena, _____ ojos castaños y es muy simpática.

—¿Asiste _____ la universidad?

—Sí, acaba _____ matricularse este semestre. Es la mejor

estudiante _____ mi clase de música.

5. —Julián me va _____ enseñar _____ bailar.

—¿Ah, sí? Yo quiero aprender _____ bailar tango.

Copyright © McDougal Littell, a division of Houghton Mifflin Company.

Vocabulario

A. Combina las dos columnas.

LOS DEPORTES

1. alpinismo _____

2. ciclismo _____

3. baloncesto _____

4. natación _____

5. béisbol _____

6. tenis _____

LO QUE HACEN

a. nadar

b. escalar montañas

c. usar una raqueta

d. usar un bate y un guante de pelota

e. montar en bicicleta

f. jugar en un equipo de cinco jugadores

B. Combina las dos columnas.

LAS ACTIVIDADES AL AIRE LIBRE

1. acampar _____

2. remar _____

3. hacer una caminata _____

4. ir de pesca _____

5. hacer surfing _____

LO QUE NECESITAN

a. una canoa

b. una caña de pescar

c. una tabla de mar

d. un saco de dormir

e. una mochila

C. Combina las dos columnas.

LUGARES

1. el hipódromo _____

2. el cine _____

3. el teatro _____

4. la ciudad _____

ACTIVIDADES

a. ver una obra teatral

b. pasear en coche

c. ver una carrera de caballos

d. ver una película

Copyright © McDougal Littell, a division of Houghton Mifflin Company.

D. Crucigrama

HORIZONTAL

1. La vemos en el cine.
4. lo opuesto de "perder"
5. Montan a caballo. Practican ____.
6. persona que juega
10. lo opuesto de "aburrirse"
12. *to enjoy* en español
13. lugar donde se juegan fútbol, béisbol, etc.
14. Voy al ____ para ver las carreras de caballos.
16. balón
17. el saco de dormir: la ____ de dormir
18. Se usa para pescar: la ____ de pescar
19. subir montañas: ____ montañas
20. persona que entrena
22. Leo la ____ deportiva.

23. caminar: hacer una ____
24. Nadar es un ____ acuático.
25. barco de vela
26. cartas
27. Sube montañas. Practica el ____.

VERTICAL

2. persona que hace excursiones
3. Los necesitamos para jugar al golf: los ____ de golf
7. *fan,* en español (*fem.*)
8. No me gusta la ____ libre.
9. Necesito una tienda de ____ para ir a acampar.
11. No perdieron ni ganaron: ____ el juego.
15. Ellos juegan a las ____ chinas.
21. Para jugar al tenis necesito una ____.
22. juego

Copyright © McDougal Littell, a division of Houghton Mifflin Company.

E. Para escribir. Compara los deportes y diversiones que te gustaban cuando eras niño(a) con los que prefieres ahora. ¿Han cambiado tus preferencias? Da detalles.

_____

_____

_____

_____

_____

_____

_____

_____

_____

_____

_____

Copyright © McDougal Littell, a division of Houghton Mifflin Company.

ACTIVIDADES PARA EL LABORATORIO

Gramática

A. Answer the questions, using the cues provided. Pay special attention to the use of the preterit or the imperfect. The speaker will verify your response. Repeat the correct answer. Follow the model.

> **MODELO:** ¿Dónde vivías tú cuando eras pequeño? (California)
> *Vivía en California.*

B. Answer the questions, using the cues provided. The speaker will verify your response. Repeat the correct answer. Follow the model.

> **MODELO:** ¿Quién es más inteligente, Daniel o Víctor? (Daniel)
> *Daniel es más inteligente que Víctor.*

C. Answer the questions, using the cues provided. Pay special attention to the use of prepositions. The speaker will verify your response. Repeat the correct answer. Follow the model.

> **MODELO:** ¿Quién te enseñó a nadar? (mi mamá)
> *Mi mamá me enseñó a nadar.*

Diálogos

You will hear three dialogues. Listen to each dialogue twice. Pay close attention to the content of the dialogues and also to the pronunciation and intonation patterns of the speakers.

DIÁLOGO 1   UNA ENTREVISTA

Ejercicio de comprensión. The speaker will ask you some questions about the dialogue. Answer them, omitting the subject whenever possible. The speaker will verify your response. Repeat the correct answer.

DIÁLOGO 2   GRACIELA

Ejercicio de comprensión. The speaker will ask you some questions about the dialogue. Answer them, omitting the subject whenever possible. The speaker will verify your response. Repeat the correct answer.

DIÁLOGO 3   ROSALBA

Ejercicio de comprensión. The speaker will ask you some questions about the dialogue. Answer them, omitting the subject whenever possible. The speaker will verify your response. Repeat the correct answer.

Copyright © McDougal Littell, a division of Houghton Mifflin Company.

¿Lógico o ilógico?

The speaker will make some statements. Circle **L** if the statement is logical and **I** if it is illogical. The speaker will verify your response.

1. L I	6. L I	11. L I
2. L I	7. L I	12. L I
3. L I	8. L I	13. L I
4. L I	9. L I	14. L I
5. L I	10. L I	15. L I

Para escuchar y escribir

Toma nota. You will now hear two friends talking about their weekend plans. First, listen carefully for general comprehension. Then, as you listen for the second time, fill in the information requested.

¿CUÁNDO?	SERGIO	EVA	VÍCTOR

Copyright © McDougal Littell, a division of Houghton Mifflin Company.

ACTIVIDADES DE VIDEO

De vacaciones

Antes de ver el video

¿Quiénes, dónde, qué...? Para que tú tengas una idea de lo que vas a ver, te damos la siguiente información.

Personajes: Isabel y Carlos • Doña Eva (la tía de Isabel)

Están en: la sala primero y el patio después

Hablan de: los planes de Isabel • las preferencias de Carlos • las preferencias de Isabel • lo que deciden hacer

Después de ver el video

¿Quién lo dice? Indica quién dice lo siguiente.

1. _____ Dos pasajes de ida y vuelta a Río

2. _____ ¿Acabas de llegar?

3. _____ Vamos a ir a la agencia de viajes a comprar los pasajes.

4. _____ ¿Qué te parece mi traje de baño nuevo?

5. _____ Tengo que aprender a armar la tienda de campaña.

6. _____ Tú nunca quieres ir a acampar...

7. _____ ¡Y no tienes que preocuparte! Yo me encargo de todo.

8. _____ Pero el año que viene... ¡vamos a África!

Comentarios. Con un(a) compañero(a), digan lo que saben ahora de Carlos y de Isabel, que no sabían antes.

Tú y yo. Con un(a) compañero(a), hablen de lo siguiente.

1. las vacaciones que ustedes tomaban cuando eran niños(as)

2. lo que les gustaba hacer y lo que no les gustaba hacer

3. los planes que tienen para sus próximas vacaciones

4. el tipo de vacaciones que ustedes consideran "ideal"

Copyright © McDougal Littell, a division of Houghton Mifflin Company.

Unidad **3**

ACTIVIDADES PARA ESCRIBIR

Gramática

El participio pasado

Minidiálogos. Completa lo siguiente, usando el equivalente en español de las palabras que aparecen entre paréntesis.

1. —¿Las chicas están _____? (*asleep*)

   —No, están _____ . (*awake*)

2. —¿La ventana está _____? (*closed*)

   —Sí, pero está _____ . (*broken*)

3. —¿Terminaste todo el trabajo?

   —Sí, las cartas están _____ y los regalos están

   _____ . (*written / wrapped*)

4. —El presidente _____ promete que los problemas pronto estarán

   solucionados. (*elect*)

   —¡Lo dudo!

5. —¿Por qué no quieres entrar en la casa?

   —Porque los perros están _____ . (*loose*)

El pretérito perfecto

Nunca... Escribe lo que las siguientes personas nunca han hecho, usando el pretérito perfecto.

    MODELO: yo / estar en Caracas
           Yo nunca he estado en Caracas.

1. nosotros / tener una caja de seguridad

_____

Copyright © McDougal Littell, a division of Houghton Mifflin Company.

2. tú / usar el servicio de habitación

_____

3. Marcela / ver un castillo

_____

4. yo / hacer un crucero

_____

5. Silvia y Alicia / hospedarse en un hotel de cinco estrellas

_____

6. nosotros / pagar por adelantado en un hotel

_____

7. yo / ir a un lugar histórico

_____

8. Ustedes / viajar en primera clase

_____

9. mis padres / querer viajar en avión

_____

10. Usted / ser pesimista

_____

El pluscuamperfecto

Rogelio está de vuelta. Cuando Rogelio llegó anoche al hotel, sus compañeros de viaje ya habían hecho muchas cosas. Usa el pluscuamperfecto para indicar lo que se había hecho ya.

> **MODELO:** Estela / preparar unas bebidas
> *Estela ya había preparado unas bebidas.*

1. los chicos / volver de la excursión

_____

2. Antonio y yo / ir al consulado

_____

3. tú / poner el dinero en la caja de seguridad

_____

Copyright © McDougal Littell, a division of Houghton Mifflin Company.

4. Ustedes / devolver los folletos del guía

_____

5. yo / hacer una llamada al hotel

_____

6. el camarero / servir la cena

_____

7. Rafael / hablar con el gerente

_____

8. nosotros / conseguir las reservaciones

_____

El futuro

Mañana... Esto es lo que no han podido hacer todas estas personas. Indica que lo podrán hacer mañana.

> **MODELO:** Inés no ha podido hablar con su profesor.
> *Hablará con su profesor mañana.*

1. Nosotros no hemos podido salir temprano.

_____

2. Ellos no han podido tener la reunión.

_____

3. Tú no has podido hacer las reservaciones.

_____

4. Yo no he podido poner el dinero en el banco.

_____

5. Usted no ha podido venir con Teresa.

_____

6. Gustavo y tú no han podido ir a la agencia de viajes.

_____

7. Nosotros no hemos podido volver a la casa de Eva.

_____

8. Mi prima no ha podido resolver sus problemas.

_____

Copyright © McDougal Littell, a division of Houghton Mifflin Company.

El condicional

Antes del viaje. Escribe lo que todas estas personas harían antes de salir de viaje. Usa el condicional.

1. Yo _____ (hacer) las maletas.

2. Mi hermana _____ (reservar) las habitaciones.

3. Mis padres _____ (comprar) los pasajes.

4. Tú _____ (dejar) instrucciones para la criada (*maid*).

5. Mis hermanos y yo _____ (cubrir) los muebles.

6. Mi padre _____ (pagar) todas las cuentas.

7. Ustedes _____ (comprar) cheques de viajero.

El futuro y el condicional para expresar probabilidad o conjetura

Probabilidades. Completa lo siguiente, usando el futuro o el condicional, según corresponda.

1. ¿Dónde _____ (estar) mi hermana en este momento?

2. ¿Qué hora _____ (ser) cuando Alma llegó anoche?

3. ¿Cuánto _____ (costar) un pasaje a Venezuela ahora?

4. ¿Con quién _____ (salir) mi primo esta noche?

5. ¿Adónde _____ (ir) los chicos ayer?

6. ¿Qué _____ (hacer) mi papá en el parque anoche?

7. ¿De quién _____ (ser) este pasaporte que está aquí?

8. ¿Cuánto _____ (valer) la casa que Ernesto compró?

9. ¿Dónde _____ (poner) Nora los folletos anoche?

10. La azafata es muy bonita. ¿Cuántos años _____ (tener)?

Copyright © McDougal Littell, a division of Houghton Mifflin Company.

Vocabulario

A. Combina lo que aparece en la columna A con lo que aparece en la columna B.

A	B
1. el asiento _____	**a.** sencillo
2. la clase _____	**b.** sin escalas
3. el pasaje _____	**c.** de estacionamiento
4. el vuelo _____	**d.** de espera
5. la caja _____	**e.** de embarque
6. el cuarto _____	**f.** de salida
7. la lista _____	**g.** turista
8. el servicio _____	**h.** de pasillo
9. la zona _____	**i.** de seguridad
10. la tarjeta _____	**j.** de equipaje
11. el detector _____	**k.** de ida y vuelta
12. la puerta _____	**l.** de habitación
13. el chaleco _____	**m.** de emergencia
14. el compartimiento _____	**n.** salvavidas
15. la salida _____	**o.** de metales

B. Combina las dos columnas.

EN ESTAS SITUACIONES

1. Quiere hospedarse en un hotel. _____
2. No puede viajar. _____
3. Está listo para irse del hotel. _____
4. Tiene que esperar para facturar el equipaje. _____
5. Le traen el almuerzo en el avión. _____
6. El avión va a despegar. _____
7. Quiere tomar algo. _____
8. Trae muchas cosas de un país extranjero. _____

LO QUE HACE EL VIAJERO

a. Reserva un cuarto.
b. Desocupa el cuarto.
c. Se abrocha el cinturón de seguridad.
d. Lo pone en la mesita.
e. Llama a la azafata.
f. Cancela la reservación.
g. Paga derechos de aduana.
h. Se pone en la cola.

Copyright © McDougal Littell, a division of Houghton Mifflin Company.

C. Crucigrama

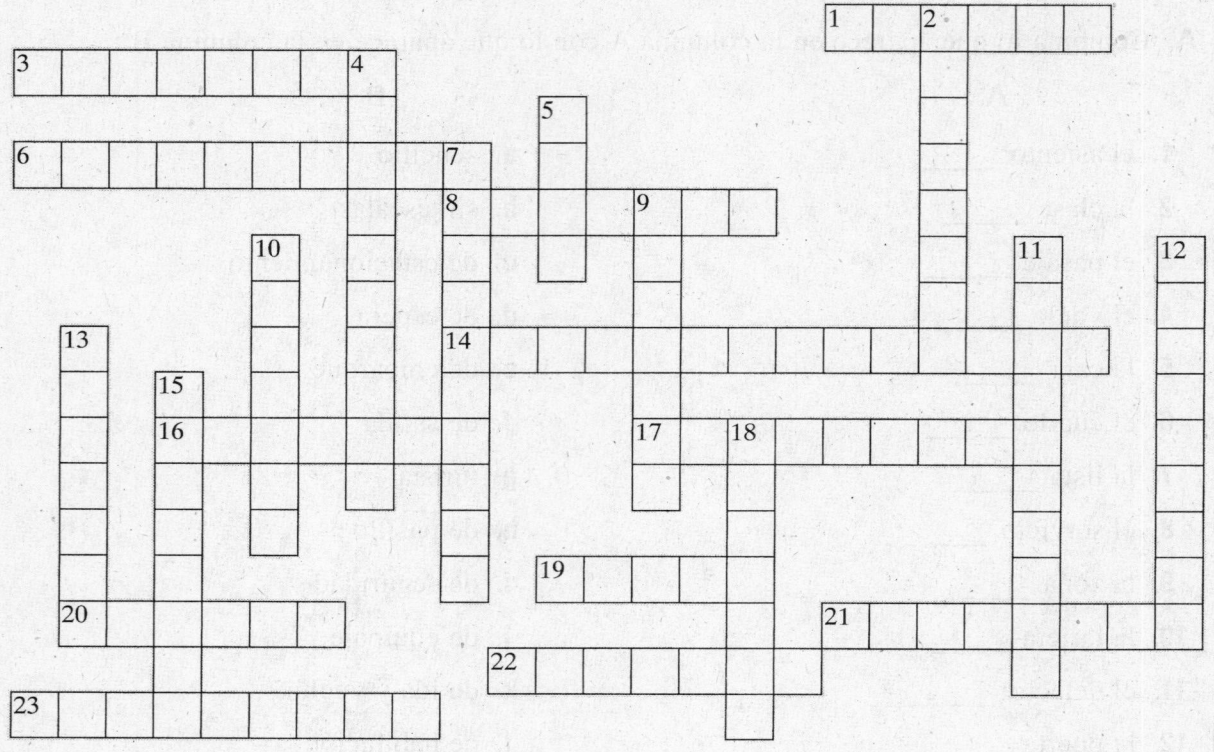

HORIZONTAL

1. Quiero un pasaje de ida y _____.

3. ¿Tengo que pagar _____ de aduana?

6. Quiero un asiento de pasillo y uno de _____.

8. pasaje

14. Pongo el bolso de mano en el _____ de equipajes.

16. auxiliar de vuelo

17. AVIANCA, MEXICANA, DELTA, por ejemplo

19. Quiero un asiento en la sección de no _____.

20. lo opuesto de "llegada"

21. Al abordar tienen que entregar la tarjeta de _____.

22. Tienen que _____ en la cola.

23. lo opuesto de "despegar"

VERTICAL

2. maletas y bolsos de mano

4. Tienen que ponerse el chaleco _____.

5. Mi asiento está en la _____ 34.

7. Tienen que _____ el cinturón de seguridad.

9. vuelo directo: vuelo sin _____

10. Nos enseñó a usar la _____ de oxígeno.

11. Es americano, pero no vive en los Estados Unidos; vive en el _____.

12. documento que se necesita para viajar a otro país

13. Tenemos que pasar por el detector de _____.

15. lo opuesto de "confirmar"

18. atraso

Copyright © McDougal Littell, a division of Houghton Mifflin Company.

D. Para escribir. Describe un viaje que tú hiciste en el pasado. ¿Adónde fuiste? ¿Cómo llegaste a tu destino y cuánto te costó viajar? ¿Con quién viajaste y dónde te hospedaste? ¿Qué cosas hiciste para divertirte?

_____

_____

_____

_____

_____

_____

_____

_____

_____

_____

Copyright © McDougal Littell, a division of Houghton Mifflin Company.

ACTIVIDADES PARA EL LABORATORIO

Gramática

A. Form sentences using the verb **estar** and the past participle of the verb given. The speaker will verify your response. Repeat the correct answer. Follow the model.

MODELO: la puerta / abrir
La puerta está abierta.

B. Answer the questions, using the present perfect and the cues provided. The speaker will verify your response. Repeat the correct answer. Follow the model.

MODELO: ¿Tú vas a esa playa? (sí, muchas veces)
Sí, muchas veces he ido a esa playa.

C. In each of the sentences, change the verb that tells what happened so that it tells what had happened, using the past perfect. The speaker will verify your response. Repeat the correct answer. Follow the model.

MODELO: Ellos leyeron los folletos.
Ellos habían leído los folletos.

D. In each of the sentences, change the verb that tells what is going to happen so that it tells what will happen, using the future tense. The speaker will verify your response. Repeat the correct answer. Follow the model.

MODELO: Nélida va a salir de viaje.
Nélida saldrá de viaje.

E. Use the conditional and the cues given to say that the people mentioned would not do what the others do. The speaker will verify your response. Repeat the correct answer. Follow the model.

MODELO: Ana lleva dos maletas. (yo)
Yo no llevaría dos maletas.

F. Answer the questions using the cues provided and the future tense to express probability or conjecture in the present. The speaker will verify your response. Repeat the correct answer. Follow the model.

MODELO: ¿Cuántos años tiene Anita? (unos veinte años)
Tendrá unos veinte años.

G. Answer the questions, using the cues provided and using the conditional tense to express probability or conjecture in the past. The speaker will verify your response. Repeat the correct answer. Follow the model.

MODELO: ¿Qué hora era cuando él vino? (las dos)
Serían las dos.

Copyright © McDougal Littell, a division of Houghton Mifflin Company.

Diálogos

You will hear three dialogues. Listen to each dialogue twice. Pay close attention to the content of the dialogues and also to the pronunciation and intonation patterns of the speakers.

DIÁLOGO 1   OLGA

Ejercicio de comprensión. The speaker will ask you some questions about the dialogue. Answer them, always omitting the subject. The speaker will verify your response. Repeat the correct answer.

DIÁLOGO 2   FERNANDO Y VERÓNICA

Ejercicio de comprensión. The speaker will ask you some questions about the dialogue. Answer them, always omitting the subject. The speaker will verify your response. Repeat the correct answer.

DIÁLOGO 3   LUIS Y SONIA

Ejercicio de comprensión. The speaker will ask you some questions about the dialogue. Answer them, omitting the subject whenever possible. The speaker will verify your response. Repeat the correct answer.

¿Lógico o ilógico?

The speaker will make some statements. Circle **L** if the statement is logical and **I** if it is illogical. The speaker will verify your response.

1. L I	6. L I	11. L I
2. L I	7. L I	12. L I
3. L I	8. L I	13. L I
4. L I	9. L I	14. L I
5. L I	10. L I	15. L I

Copyright © McDougal Littell, a division of Houghton Mifflin Company.

Para escuchar y escribir

Toma nota. You will now hear an ad from a travel agency advertising a tour to Puerto Rico. First, listen carefully for general comprehension. Then, as you listen for a second time, fill in the information requested.

UN VIAJE A PUERTO RICO

Nombre de la agencia: _____

Destino: _____

Precio del viaje: _____

Incluye: _____ , _____

_____ y _____

Lugares de interés: _____ , _____

_____ y _____

Días de salida: _____ Hora: _____

Copyright © McDougal Littell, a division of Houghton Mifflin Company.

ACTIVIDADES DE VIDEO

Dos amigas... dos hoteles

Antes de ver el video

¿Quiénes, dónde, qué...? Para que tú tengas una idea de lo que vas a ver, te damos la siguiente información.

Personajes: Claudia (la hermana de Carlos) • Silvia (la hermana de Isabel) • El empleado del hotel • El botones

Están en: el vestíbulo de un hotel malísimo

Hablan de: este hotel, comparado con el hotel Magnolia • lo que el hotel no tiene • los planes de las chicas

Después de ver el video

¿Quién lo dice? Indica quién dice lo siguiente.

1. _____ Vamos al hotel Magnolia. ¡Es mucho mejor que éste!

2. _____ Los cuartos no tienen baño privado.

3. _____ Pero tienen televisor y teléfono, ¿no?

4. _____ ¡Tú me habías prometido que íbamos a nadar un rato!

5. _____ ¡Abriremos la ventana!

6. _____ Veinte dólares la noche.

7. _____ Estoy cansada y tengo sueño.

8. _____ Mañana vendré a buscarte a las doce.

Comentarios. Con un(a) compañero(a), hablen de Claudia y de Silvia y digan con cuál de las chicas les gustaría viajar y por qué.

Tú y yo. Con un(a) compañero(a), hablen de lo siguiente.

1. el tipo de hotel en el que les gusta hospedarse

2. el tipo de cuarto que piden cuando viajan

3. si usan o no la piscina y el gimnasio del hotel y por qué

4. los lugares que les gusta visitar cuando viajan

5. lo que les gusta hacer cuando viajan a otras ciudades o a otros países

6. adónde les gustaría viajar

Unidad 4

ACTIVIDADES PARA ESCRIBIR

Gramática

El futuro perfecto

Para entonces... Escribe lo que tú y otras personas ya habrán hecho para ciertas horas del día, usando el futuro perfecto de los verbos que aparecen entre paréntesis.

1. Yo ya _____ (levantarse) para las seis de la mañana.

2. Tú ya _____ (salir) de tu casa para las ocho.

3. Carlos y yo ya _____ (volver) de la universidad para las tres.

4. Rafael ya _____ (terminar) los bosquejos para las cinco.

5. Los chicos ya _____ (estudiar) para las seis.

6. Ustedes ya _____ (hacer) todo el trabajo para las siete y media.

7. Teresa ya _____ (cenar) para las nueve.

8. Mis padres ya _____ (acostarse) para las once.

El condicional perfecto

Un poco de cultura. Indica lo que tú y estas otras personas habrían hecho, usando el condicional perfecto de los verbos que aparecen entre paréntesis.

1. Yo _____ (tomar) una clase de arte.

2. Magdalena _____ (estudiar) piano.

3. Tú y yo _____ (ir) al concierto.

4. Nuestros amigos _____ (asistir) a la conferencia.

5. Usted _____ (decir) que va a ir al museo.

Copyright © McDougal Littell, a division of Houghton Mifflin Company.

6. Arturo _____ (aprender) a tocar el violín.

7. Tú _____ (escuchar) música clásica.

8. Ustedes _____ (tocar) la guitarra.

Los pronombres relativos

¿Quién es quién? Combina los siguientes pares de oraciones, usando **que**, **quien(es)** o **cuyo**.

> MODELO: Ésta es la señora. / La señora vino ayer.
> *Ésta es la señora que vino ayer.*

1. Éstos son los cantantes. / Los cantantes trabajan aquí.

2. Carlos Paz es el concertista. / Yo le hablé del concertista.

3. Éste es el señor. / Su hija llamó esta mañana.

4. Salimos con las chicas. / Las chicas preguntaron por ti.

5. Ése es el director. / Sus hijos hablaron con nosotros.

6. Éste es el piano. / Yo compré el piano.

7. Ésta es la pintora. / Sus cuadros se exhiben hoy.

8. Marcela y Nora son las chicas cubanas. / Luis bailó con las chicas cubanas.

La voz pasiva

El mundo del arte. Cambia las siguientes oraciones a la voz pasiva.

1. Velázquez pintó el cuadro "Las Meninas".

2. Ana María Sanz escribirá los artículos.

3. Elba compraba todos los cuadros para el museo.

4. El dueño de la galería entrevista a todos los empleados.

5. Anunciaron la exposición en el periódico.

6. Esa editorial publicará mi novela.

7. Un poeta hondureño ha escrito este poema.

8. El Museo del Prado había comprado esos cuadros.

Copyright © McDougal Littell, a division of Houghton Mifflin Company.

Expresiones idiomáticas

¿Cómo lo decimos...? Completa lo siguiente, usando el equivalente en español de lo que aparece entre paréntesis.

1. _____ cuando ellos dicen eso.

   _____ puedo aceptar sus opiniones. (*It makes me furious / (In) no way*)

2. Tú siempre _____ . (*pull his leg*)

3. No sé qué hacer. Estoy _____ . ¡Voy a

   _____ ! (*between a rock and a hard place / go crazy*)

4. Dijo que iba a ir al cine con nosotros, pero _____ .

   No importa; lo veremos mañana _____ . (*he changed his mind / in any case*)

5. Quiero _____ , señorita Soto. (*ask you a question*)

6. No quiero _____ la fiesta de Lucía. Además, Eva

   quiere que yo la _____ . (*miss out on / go with*)

7. Ana siempre dice lo que piensa. _____ , pero

   _____ . (*She's very outspoken / I like her*)

8. _____ de ver a mis amigos. (*I can't wait*)

9. Cuando él dijo que ella era muy egoísta, _____ . (*he hit the nail on the head*)

10. _____ de que él no venga hoy. (*It's not my fault*)

11. Las esculturas de Miguel Ángel son _____ . (*worth seeing*)

12. _____ vino a la fiesta. (*Everybody*)

13. _____ todos se van a mudar a otra casa. (*In the long run*)

14. No es mala. _____ , es una persona muy generosa. (*On the contrary*)

15. _____ que Olga viva en este lugar, pero decidió venir

    porque los cursos que ella necesita no se ofrecen _____ .

    (*It seems incredible / nowhere [anywhere] else*)

Copyright © McDougal Littell, a division of Houghton Mifflin Company.

Vocabulario

A. ¿Con quiénes relacionarías tú lo siguiente? ¿Con un pintor, con un escultor o con un músico?

pincel	mármol	saxofón	autorretrato	madera	acuarela
contrabajo	bronce	óleo	trombón	lienzo	piedra
paleta	batería	busto	trompeta	pintura	

UN PINTOR	UN ESCULTOR	UN MÚSICO
1.	1.	1.
2.	2.	2.
3.	3.	3.
4.	4.	4.
5.	5.	5.
6.		
7.		

B. Combina las dos columnas.

A	B
1. Emily Dickinson _____	**a.** novela
2. Hemingway _____	**b.** tema
3. Edgar Allan Poe _____	**c.** fábula
4. Arthur Miller _____	**d.** lo que sucede
5. Esopo _____	**e.** cuento
6. Tom Sawyer _____	**f.** dramaturgo
7. el amor _____	**g.** poesía
8. la trama _____	**h.** personaje

Copyright © McDougal Littell, a division of Houghton Mifflin Company.

C. Crucigrama

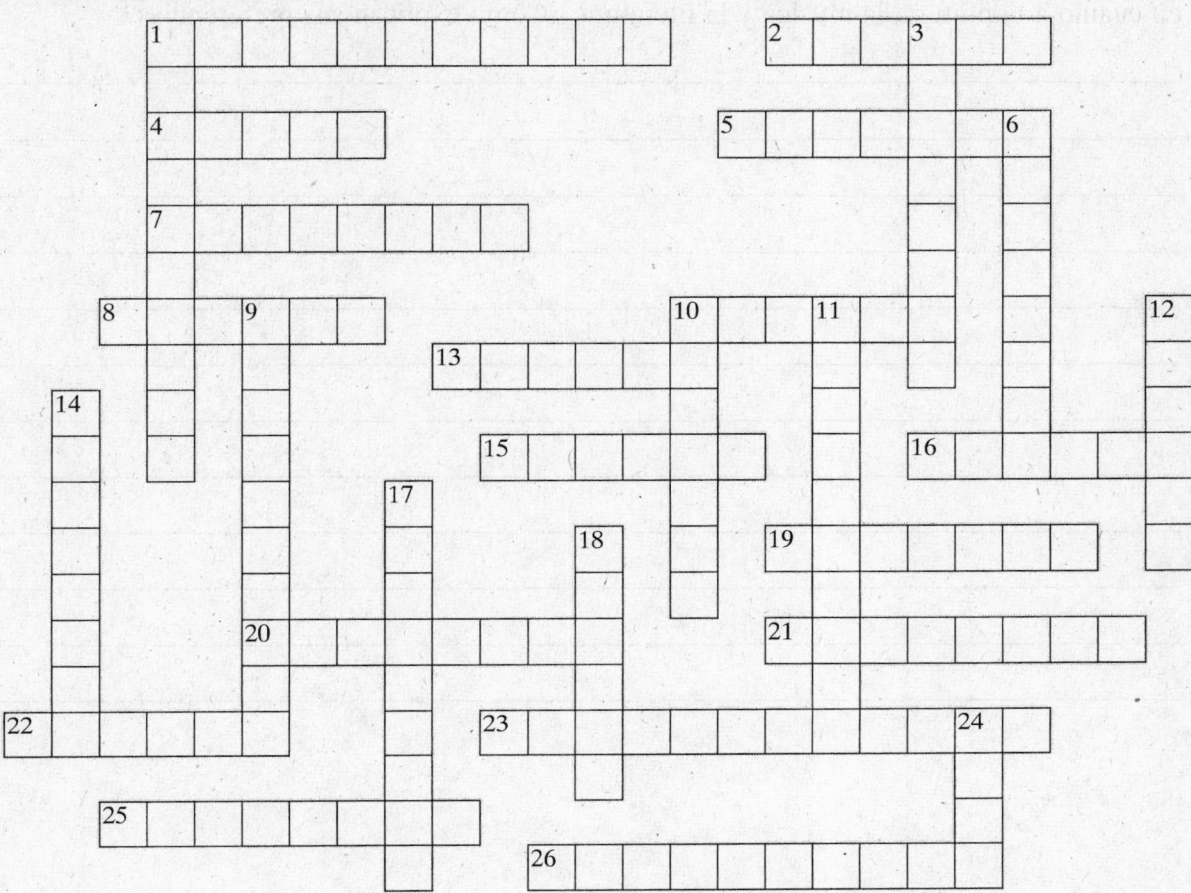

HORIZONTAL

1. persona que da conciertos
2. El pintor mezcla los colores en la
   _____ .
4. El Prado es un _____ de arte muy
   famoso.
5. Es un cuento de _____ ficción.
7. La _____ sinfónica da un concierto hoy.
8. tela
10. ¿Qué _____ literario prefieres?
13. historia en la que los personajes son
    animales
15. Para pintar necesito un _____ y pintura.
16. *flute,* en español
19. Dibuja muy bien. Me encantan sus
    _____ .
20. Me gusta _____ música clásica.
21. Luis conduce la orquesta. Es el _____ .
22. No es prosa. Es _____ .

23. Es el personaje principal. Es el _____ de
    la obra.
25. Ricky Martin es un _____ muy famoso.
26. autor de obras de teatro

VERTICAL

1. Mozart fue un gran _____ .
3. persona que hace estatuas
6. No pinta con óleo; pinta con _____ .
9. Él pintó una _____ muerta.
10. Hoy vamos a la _____ de arte.
11. exposición
12. instrumento que tocan en las iglesias
14. grupo musical formado por cuatro
    personas
17. trama
18. La estatua no es de bronce; es de
    _____ .
24. conjunto musical de tres personas

Copyright © McDougal Littell, a division of Houghton Mifflin Company.

D. Para escribir. Escribe un diálogo entre dos personas que tienen gustos muy diferentes en cuanto a la pintura, la música y la literatura. ¿Cómo explican sus preferencias?

_____

_____

_____

_____

_____

_____

_____

_____

_____

_____

_____

Copyright © McDougal Littell, a division of Houghton Mifflin Company.

ACTIVIDADES PARA EL LABORATORIO

Gramática

A. Tell what you and the people mentioned will have done by next week, using the cues provided and the future perfect. The speaker will verify your response. Repeat the correct answer. Follow the model.

> **MODELO:** Jaime / terminar las clases
> *Jaime habrá terminado las clases.*

B. The speaker will make statements about what Ángel did. Say what the following people would have done, using the cues provided and the conditional perfect. The speaker will verify your response. Repeat the correct answer. Follow the model.

> **MODELO:** Ángel fue al museo. (Diego / cine)
> *Diego habría ido al cine.*

C. Answer the questions, using the cues provided. Pay special attention to the use of relative pronouns. The speaker will verify your response. Repeat the correct answer. Follow the model.

> **MODELO:** ¿Quién es la señora que vino esta mañana? (la esposa del pintor)
> *La señora que vino esta mañana es la esposa del pintor.*

D. Change the sentences from the passive voice to the active voice. The speaker will verify your response. Repeat the correct answer. Follow the model.

> **MODELO:** La ciudad fue fundada por los españoles.
> *Los españoles fundaron la ciudad.*

E. The speaker will make a statement and will then provide two reactions, using idiomatic expressions. Select the correct response. The speaker will verify your response. Repeat the correct answer. Follow the model.

> **MODELO:** Ella es antipática.
> Al contrario, es muy simpática.
> A la larga, es muy simpática.
> The correct response is: *Al contrario, es muy simpática.*

Diálogos

You will hear three dialogues. Listen to each dialogue twice. Pay close attention to the content of the dialogues and also to the pronunciation and intonation patterns of the speakers.

DIÁLOGO 1   DAVID

Ejercicio de comprensión. The speaker will ask you some questions about the dialogue. Answer them, omitting the subject whenever possible. The speaker will verify your response. Repeat the correct answer.

Copyright © McDougal Littell, a division of Houghton Mifflin Company.

DIÁLOGO 2   EL SR. ALCALÁ

Ejercicio de comprensión. The speaker will ask you some questions about the dialogue. Answer them, omitting the subject whenever possible. The speaker will verify your response. Repeat the correct answer.

DIÁLOGO 3   LUISA

Ejercicio de comprensión. The speaker will ask you some questions about the dialogue. Answer them, omitting the subject whenever possible. The speaker will verify your response. Repeat the correct answer.

¿Lógico o ilógico?

The speaker will make some statements. Circle **L** if the statement is logical and **I** if it is illogical. The speaker will verify your response.

1. L I	**6.** L I	**11.** L I
2. L I	**7.** L I	**12.** L I
3. L I	**8.** L I	**13.** L I
4. L I	**9.** L I	**14.** L I
5. L I	**10.** L I	**15.** L I

Para escuchar y escribir

Toma nota. You will now hear an announcement about a sculpture exhibition. First, listen carefully for general comprehension. Then, as you listen for the second time, fill in the information requested.

APERTURA DE UNA GALERÍA

Día de la apertura: _____

Fecha: _____

Hora: _____

Nombre de la galería: _____

Nombre del escultor: _____

País de origen del escultor: _____

Tipos de esculturas que se exhiben: _____

Duración de la exhibición: _____

Copyright © McDougal Littell, a division of Houghton Mifflin Company.

ACTIVIDADES DE VIDEO

¡Pobre Carlos!

Antes de ver el video

¿Quiénes, dónde, qué...? Para que tú tengas una idea de lo que vas a ver, te damos la siguiente información.

Personajes: Carlos • Isabel • doña Nora (la mamá de Isabel)

Están en: La sala de Isabel y Carlos

Hablan de: lo que van a hacer con la mamá de Isabel • Los regalos de doña Nora • los planes de doña Nora • el programa que van a mirar • el cuadro que pintó doña Nora

Después de ver el video

¿Quién lo dice? Indica quién dice lo siguiente.

1. A mí me habría gustado mucho ir con ustedes al partido.

2. Fue escrito por un poeta contemporáneo.

3. Pero... esta noche hay un programa sobre pintura y escultura que no me quiero perder.

4. No, ahora me interesa la pintura abstracta.

5. ¿Qué es esto? Quiero decir... ¿cómo se titula?

6. ¡Es perfecto para la sala de ustedes!

7. ¿Quieres colgar el cuadro, por favor?

8. Mamá y yo vamos a ir a la cocina a tomar una taza de té.

Comentarios. Con un(a) compañero(a), digan lo que ustedes harían si alguien les regalara un cuadro muy feo.

Tú y yo. Con un(a) compañero(a), hablen de lo siguiente.

1. las excusas que ustedes dan para no hacer algo que no quieren hacer

2. un regalo que recibieron y que no les gustó; lo que hicieron

3. de las invitaciones que ustedes reciben, cuáles aceptan y cuáles no aceptan y por qué

4. si tienen que elegir entre pasar un par de horas en una galería de arte o en un concierto de música clásica, qué escogen y por qué

5. lo que les gusta leer (novelas, cuentos, ensayos, poemas) y las ocasiones en que lo hacen

Copyright © McDougal Littell, a division of Houghton Mifflin Company.

Unidad 5

ACTIVIDADES PARA ESCRIBIR

Gramática

Formas del presente de subjuntivo

Para completar. Completa el siguiente gráfico.

	Infinitivo	(que) yo	(que) tú	(que) Ud., él, ella	(que) nosotros	(que) Uds., ellos, ellas
1.	matar				matemos	
2.		haga		haga		
3.			vuelvas			vuelvan
4.	abrir	abra		abra		
5.			puedas		podamos	
6.	ir			vaya		vayan
7.	lograr		logres			
8.		sepa			sepamos	
9.	dormir		duermas	duerma		
10.		pida		pida		pidan
11.	seguir		sigas		sigamos	
12.		comience				comiencen
13.	tener			tenga		
14.		ponga			pongamos	
15.			aclares			aclaren
16.	decir			diga		
17.		quiera			queramos	
18.			sirvas			sirvan
19.	ver			vea		vean
20.		conozca			conozcamos	
21.	dar		des			
22.		esté		esté		
23.			seas		seamos	
24.	aprender					aprendan

Copyright © McDougal Littell, a division of Houghton Mifflin Company.

El subjuntivo usado con verbos y expresiones de voluntad

Minidiálogos. Completa lo siguiente, usando el infinitivo o el presente de subjuntivo de los verbos que aparecen entre paréntesis.

1. —Nuestros padres nos sugieren que _____ (pasar) la luna de miel en México, pero nosotros preferimos _____ (ir) a Puerto Rico.

   —Yo te aconsejo que les _____ (decir) que ustedes quieren _____ (visitar) San Juan.

   —Bueno... es importante que ellos _____ (estar) contentos con nuestra decisión, porque ellos pagan el viaje.

2. —Mi madrastra dice que es importante no _____ (malcriar) a los niños.

   —¿Quieres que yo te _____ (dar) un consejo? Sugiérele que no _____ (meterse) en tu vida.

   —No, yo no le quiero _____ (decir) eso.

3. —Mi suegra insiste en que nosotros la _____ (acompañar) a la boda de su sobrina.

   —¿Y ustedes no desean _____ (ir)?

   —No, nosotros preferimos que ella _____ (ir) con su hija.

4. —Anita, ¿quieres que te _____ (hacer) una taza de té?

   —No, no quiero que te _____ (molestar). Oye, Eva y yo vamos a ir a un restaurante mexicano. ¿Qué nos sugieres que _____ (pedir)?

   —Yo les recomiendo que _____ (comer) tamales verdes. ¡Son riquísimos!

5. —Mis padres no me permiten _____ (salir) con Antonio, pero no me prohíben que _____ (salir) con Ernesto.

   —¿Y vas a salir con Antonio?

   —No, porque no quiero que ellos _____ (enojarse).

Copyright © McDougal Littell, a division of Houghton Mifflin Company.

El subjuntivo usado con verbos y expresiones de emoción

Minidiálogos. Completa lo siguiente, usando el infinitivo o el presente de subjuntivo.

1. —Espero que tú _____ (poder) ver a tu familia.

—No sé... Temo no _____ (poder) ir a visitarlos este mes.

2. —Me alegro de _____ (estar) con ustedes hoy.

—Nosotros también nos alegramos de que tú _____ (estar) aquí.

3. —Lamento _____ (tener) que molestarlos, pero necesito ayuda.

—No hay problema. Esperamos _____ (poder) estar en tu casa en

una hora.

4. —Temo no _____ (poder) acompañar a mi nuera al médico.

—Siento que tú _____ (tener) que trabajar hoy.

5. —Me sorprende que ellos no _____ (venir) hoy.

—Pues yo me alegro de que no _____ (estar) aquí.

6. —Temo que mi nuera no _____ (hacer) más que regañar a los niños.

—Sí, es una lástima que (ella) _____ (ser) tan impaciente.

El subjuntivo para expresar duda, incredulidad y negación

En familia. Cambia cada oración, de acuerdo con las palabras que aparecen entre
paréntesis.

1. Mi hija y su esposo van de luna de miel a Acapulco. (Dudo que...)

_____

2. Mi sobrino está comprometido con Eva. (No creo que...)

_____

3. Ellos son recién casados. (No es verdad que...)

_____

4. Dudo que mis nietos vayan a la boda. (Estoy seguro de que...)

_____

5. Mi prima niega que Luis sea su novio. (Mi prima no niega...)

_____

Copyright © McDougal Littell, a division of Houghton Mifflin Company.

6. No es verdad que mis hijos no me respeten. (Es cierto que...)

_____

7. Mis tíos pueden criar a los niños. (Es difícil que...)

_____

8. Mi hermana y Luis van a contraer matrimonio. (Es improbable que...)

_____

9. Creo que esa pareja es muy feliz. (No creo que...)

_____

10. Mi suegra sabe lo que pasa aquí. (Es imposible que...)

_____

El subjuntivo para expresar lo indefinido y lo no existente

¡Podemos hacer más! Miguel Ángel Asturias, presidente del Comité Cívico, da un discurso sobre el futuro de su ciudad. Complétalo, usando el presente de subjuntivo o el presente de indicativo de los verbos que aparecen entre paréntesis.

Hay varios programas que _____ (tratar) de resolver el problema del desempleo, pero no hay ninguno que _____ (tratar) de disminuir el crimen.

El problema de las personas sin hogar es muy grave. Las casas son muy caras... Conozco a una familia que vive en una casa que _____ (tener) dos dormitorios. Tienen cuatro hijos y buscan una casa que _____ (tener) más espacio, pero no encuentran nada.

No hay nadie que _____ (poder) resolver completamente el problema de la deserción escolar, pero sí podemos mejorar las escuelas. También necesitamos programas que _____ (ayudar) a los drogadictos.

Hay muchas personas que _____ (creer) que estos problemas pueden resolverse fácilmente, pero no es así. ¿Hay alguien que _____ (saber) lo que tenemos que hacer? Juntos, encontraremos soluciones.

Copyright © McDougal Littell, a division of Houghton Mifflin Company.

Expresiones que requieren el indicativo o el subjuntivo

Vida de estudiantes. Completa las oraciones con el equivalente en español de las palabras que aparecen entre paréntesis.

1. Todos los días, en cuanto _____ de la universidad, llamo a mi mamá. (*I return home*)

2. No puedes tomar clases en la universidad sin que tus padres _____ el dinero para pagar la matrícula. (*give you*)

3. Cuando _____ , vamos a buscar trabajo. (*we graduate*)

4. Vas a quedar suspendido a menos que _____ . (*you study more*)

5. Le van a dar una beca con tal de que _____ en estadística. (*he majors*)

6. Siempre esperamos hasta que el profesor _____ . (*arrives*)

7. Marcelo no va a poder seguir sus estudios aunque _____ una beca. (*he gets*)

8. Tendremos que quedarnos aquí hasta que ellos _____ el examen. (*finish*)

9. En cuanto _____ al consejero, le vamos a hablar de nuestro programa de estudios. (*we see*)

10. Quizás _____ asistir a la facultad de medicina, pero lo dudo. (*he can*)

Repaso general

El presente de subjuntivo. Completa los siguientes diálogos, usando el infinitivo, el presente de indicativo o el presente de subjuntivo.

1. —¿Qué quieres _____ (hacer) hoy, Pablo?

    —No sé... mi papá quiere que (yo) lo _____ (llevar) a la oficina porque su coche está en el taller. Y cuando él _____ (terminar) de trabajar, tengo que traerlo a casa.

    —Bueno, dudo que (tú) _____ (poder) hacer algo hoy.

Copyright © McDougal Littell, a division of Houghton Mifflin Company.

2. —¿Vas a cenar ahora o vas a esperar hasta que los chicos

_____ (llegar) a casa?

—No creo que ellos _____ (llegar) antes de las seis, y yo tengo

hambre. Además, ellos prefieren que (yo) no los _____

(esperar).

3. —¡Hola, Fernando! Me alegro de _____ (ver) que estás estudiando

para el examen.

—Sí, estoy seguro de que (yo) _____ (merecer) una "A".

¡Y no es verdad que los exámenes del Dr. Soto _____ (ser)

fáciles!

—¡Ya lo sé! Bueno, me voy para que (tú) _____ (seguir)

estudiando.

4. —Mirta siempre prepara algo para comer, en caso de que sus hijos

_____ (tener) hambre.

—Sí, y no hay nadie que _____ (cocinar) mejor que ella.

—Es verdad que Mirta _____ (ser) una excelente cocinera.

Oye... Jorge dice que tu papá necesita una secretaria que

_____ (saber) alemán. Yo conozco a una chica que lo

_____ (hablar) muy bien.

—Bueno, se lo voy a decir a papi cuando lo _____ (ver).

5. —Siento no _____ (poder) ir con ustedes al teatro esta

noche. Mis padres quieren que (yo) _____ (conocer) a la

hija de don José, que llega hoy de Madrid.

—Es una lástima que (tú) no _____ (poder) ir. Espero

que (tú) no _____ (tener) planes para mañana, porque

queremos _____ (ir) a la playa.

—Bueno... depende. ¿Por qué no me llamas esta noche, cuando (tú)

_____ (volver) del teatro?

—¡Vale! Te voy a llamar en cuanto (yo) _____ (llegar) a casa.

Copyright © McDougal Littell, a division of Houghton Mifflin Company.

El imperativo: *usted* y *ustedes*

Órdenes y más órdenes. Cambia lo siguiente a mandatos y colócalos en la columna correspondiente, de acuerdo con quien dé la orden.

entregarme el examen / ir a la escuela / limpiar su cuarto /
archivar las cartas / traerme las solicitudes /
escribir la composición / estar en la clase a la una /
no mirar televisión / no darle los documentos al supervisor /
acostarse temprano / ser obedientes /
leer el programa de estudios / llevar las cartas al correo

EL SR. PAZ A SU SECRETARIA

1. _____
   _____
2. _____
   _____
3. _____
   _____
4. _____

LA SRA. VEGA A SUS HIJOS

1. _____
   _____
2. _____
   _____
3. _____
   _____
4. _____
   _____
5. _____
   _____

EL DR. SOTO A SUS ESTUDIANTES

1. _____
   _____
2. _____
   _____
3. _____
   _____
4. _____
   _____

Vocabulario

A. Lee la descripción de estas personas.

1. Rodolfo: Yo no me llevo bien con nadie.
2. Beatriz: Yo me meto en la vida de los demás.
3. Nora: Yo sé comunicarme con mis amigos.
4. Mariana: Yo malcrío a mis nietos.
5. Carlos: Yo apoyo a mis amigos.
6. José: Yo molesto a todo el mundo.
7. Roberto: Yo doy buenos consejos cuando me los piden.
8. Isabel: Yo amo a mis familiares y a mis amigos.
9. Diego: Yo regaño a mis hijos constantemente.
10. Delia: Yo sé mucho sobre la crianza de los niños.

Copyright © McDougal Littell, a division of Houghton Mifflin Company.

Y ahora, completa lo siguiente.

Quiero que estas personas sean parte de mi vida:

1. _____ , porque _____

2. _____ , porque _____

3. _____ , porque _____

4. _____ , porque _____

5. _____ , porque _____

No quiero que estas personas sean parte de mi vida:

1. _____ , porque _____

2. _____ , porque _____

3. _____ , porque _____

4. _____ , porque _____

5. _____ , porque _____

B. Combina las dos columnas.

A	B
1. Tiene muy buenas notas. _____	**a.** Tiene un título universitario.
2. Terminó la escuela primaria. _____	**b.** Lo aprobó.
3. Acaba de graduarse de la universidad. _____	**c.** Va a asistir a la facultad de medicina.
4. No estudió. _____	**d.** Se va a especializar en psicología.
5. Quiere ser médico. _____	**e.** Pronto se gradúa.
6. Necesita dos requisitos. _____	**f.** Va a hablar con un consejero.
7. Sacó una "B" en el examen. _____	**g.** Le van a dar una beca.
8. Termina sus estudios el mes próximo. _____	**h.** Va a tomar inglés y matemáticas.
9. No sabe qué clases tomar. _____	**i.** Quedó suspendido.
10. Quiere ser psicólogo. _____	**j.** Va a asistir a la escuela secundaria.

Copyright © McDougal Littell, a division of Houghton Mifflin Company.

C. Crucigrama

HORIZONTAL

1. examen de mitad de curso: examen ___
3. la esposa de mi hermano
7. Tiene ocho años; asiste a la escuela ___.
10. Son ___ casados.
11. adicto a las drogas
14. boda
16. amor
17. la esposa de mi hijo
19. título universitario
21. El jefe de la policía habló de la ___ juvenil.
25. Debo mucho dinero. Tengo muchas ___.
26. *mortgage,* en español
27. lo opuesto de "quedar suspendido"
28. la hija de mi madrastra

VERTICAL

2. Van de ___ de miel.

4. lo que existe cuando muchas personas no tienen trabajo
5. Van a contraer ___.
6. estipendio que se le concede a un estudiante para que complete sus estudios
8. Lo van a ___ porque se portó mal.
9. lo que tiene una persona que está enferma
12. mostrar respeto
13. profesor universitario
14. Hablé con mi ___ financiero.
15. No tiene que pagar la ___ porque tiene una beca.
16. Sergio está ___ para casarse.
18. lo que le pagamos al IRS
20. dar consejos
22. Voy a mimar a mi nieto, pero no lo voy a ___.
23. amar
24. síndrome de inmunodeficiencia adquirida

Copyright © McDougal Littell, a division of Houghton Mifflin Company.

D. Para escribir. Un(a) primo(a) te ha pedido consejo sobre cómo mantener buenas relaciones con varios miembros de la familia (padres, esposo(a), hijos, nueras y yernos, etc.). Escríbéle una lista de diez recomendaciones.

_____

_____

_____

_____

_____

_____

_____

_____

_____

_____

_____

Copyright © McDougal Littell, a division of Houghton Mifflin Company.

ACTIVIDADES PARA EL LABORATORIO

Gramática

A. Answer the questions, using the cues provided. The speaker will verify your response. Repeat the correct answer. Follow the model.

MODELO: ¿Qué quieren tus padres que tú hagas? (asistir a la universidad)
Quieren que asista a la universidad.

B. Answer the questions in the negative. The speaker will verify your response. Repeat the correct answer. Follow the model.

MODELO: ¿Usted cree que todos los matrimonios son felices?
No, no creo que todos los matrimonios sean felices.

C. The speaker will make some statements. Change each one, using the new beginning. Pay special attention to the use of the subjunctive or the indicative. The speaker will verify your response. Repeat the correct answer. Follow the model.

MODELO: Conozco a alguien que sabe varios idiomas. (No conozco a nadie...)
No conozco a nadie que sepa varios idiomas.

D. Answer the questions in the affirmative, using the cues provided. Pay special attention to the use of the subjunctive or the indicative. The speaker will verify your response. Repeat the correct answer. Follow the model.

MODELO: ¿Podemos ir a la playa? (a menos que / llover)
Sí, podemos ir a menos que llueva.

E. Answer the questions, using **usted** commands and the cues provided. Change the direct objects to direct object pronouns. The speaker will verify your response. Repeat the correct answer. Follow the model.

MODELO: ¿Traigo a mi cuñada? (sí)
Sí, tráigala.

Diálogos

You will hear five dialogues. Listen to each dialogue twice. Pay close attention to the content and also to the pronunciation and intonation patterns of the speakers.

DIÁLOGO 1   ANÍBAL

Ejercicio de comprensión. The speaker will ask you some questions about the dialogue. Answer them, always omitting the subject. The speaker will verify your response. Repeat the correct answer.

DIÁLOGO 2   AMALIA

Ejercicio de comprensión. The speaker will ask you some questions about the dialogue. Answer them, always omitting the subject. The speaker will verify your response. Repeat the correct answer.

Copyright © McDougal Littell, a division of Houghton Mifflin Company.

DIÁLOGO 3   ESTEBAN

Ejercicio de comprensión. The speaker will ask you some questions about the dialogue. Answer them, always omitting the subject. The speaker will verify your response. Repeat the correct answer.

DIÁLOGO 4   RICARDO

Ejercicio de comprensión. The speaker will ask you some questions about the dialogue. Answer them, always omitting the subject. The speaker will verify your response. Repeat the correct answer.

DIÁLOGO 5   LA SRTA. MENA

Ejercicio de comprensión. The speaker will ask you some questions about what you heard. Answer them, always omitting the subject. The speaker will verify your response. Repeat the correct answer.

¿Lógico o ilógico?

The speaker will make some statements. Circle **L** if the statement is logical and **I** if it is illogical. The speaker will verify your response.

1. L I   7. L I

2. L I   8. L I

3. L I   9. L I

4. L I   10. L I

5. L I   11. L I

6. L I   12. L I

Copyright © McDougal Littell, a division of Houghton Mifflin Company.

Para escuchar y escribir

Toma nota. You will now hear an excerpt from the ten o'clock news. First, listen carefully for general comprehension. Then, as you listen for a second time, fill in the information requested.

LA CONFERENCIA DE PRENSA

Nombre del gobernador: _____

Tema de la conferencia de prensa: _____

_____

Problemas que mencionó el gobernador:

_____ ,

_____ y _____

Sugerencias para resolver estos problemas:

1. La delincuencia juvenil:

_____

2. El desempleo:

_____

3. La deserción escolar:

_____

Copyright © McDougal Littell, a division of Houghton Mifflin Company.

ACTIVIDADES DE VIDEO

¿Hay boda o no hay boda...?

Antes de ver el video

¿Quiénes, dónde, qué...? Para que tú tengas una idea de lo que vas a ver, te damos la siguiente información.

Personajes: Carlos • Isabel • Gloria (una amiga de Isabel y Carlos) • doña Inés (la mamá de Gloria) • don Luis (el abuelo de Gloria)

Están en: La sala de Isabel y Carlos

Hablan de: la llegada de los invitados de Isabel y Carlos • los preparativos para la boda de Gloria y Sergio • los problemas entre Gloria y Sergio • los consejos de doña Inés • los consejos de don Luis • lo que decide hacer Gloria

Después de ver el video

¿Quién lo dice? Indica quién dice lo siguiente.

1. ¡Espero que sean puntuales! ¿Viene toda la familia?

2. Tú y yo vamos a ayudarlos a preparar la boda.

3. Gloria quiere que hables con Sergio.

4. ¡No, no, no! Yo no quiero meterme en eso.

5. ¡Sergio no me ama y su mamá y yo no nos llevamos bien!

6. ¡Sé paciente! ¡Sergio es un buen muchacho!

7. Dile que has cambiado de idea y que no quieres casarte con él.

8. ¡Voy a su oficina ahora mismo para decirle que lo amo!

Comentarios. Con un(a) compañero(a), discutan lo siguiente: ¿Quién le dio los mejores consejos a Gloria, doña Inés o don Luis? ¿Por qué?

Tú y yo. Con un(a) compañero(a), hablen de lo siguiente.

1. los preparativos para una boda en los cuales ustedes tomaron parte: ¿Qué pasó?

2. Muchas personas creen que una boda debe ser un gran acontecimiento (*event*), con muchos invitados. Otras opinan que debe ser una ceremonia íntima a la cual asistan sólo los parientes cercanos y algunos amigos. ¿Qué piensan ustedes?

3. ¿Es mejor tener un noviazgo prolongado? ¿Cómo puede una pareja conocerse bien antes de casarse? Si alguien no se lleva bien con sus futuros parientes políticos, ¿qué debe hacer? ¿Qué piensan ustedes?

Copyright © McDougal Littell, a division of Houghton Mifflin Company.

Unidad 6

ACTIVIDADES PARA ESCRIBIR

Gramática

El imperativo: *tú*

Órdenes y más órdenes... Ésta es la lista que el Sr. Vargas le dejó a su hija, que trabaja con él, diciéndole lo que tenía que hacer hoy. Cambia los infinitivos a mandatos, usando el imperativo **tú**.

Marcela: Debes preparar la campaña publicitaria, entrevistar al dibujante comercial y decirle que mande los dibujos para los emblemas. También debes hablar con el patrocinador del programa y pedirle una cita, pero no debes pedírsela para hoy. No debes olvidarte de grabar el programa infantil. Además, debes mandar al correo las cartas que están en mi mesa. Mañana debes venir antes de las nueve y hacer una fotocopia de los documentos que te di ayer.

1. _____
2. _____
3. _____
4. _____
5. _____
6. _____
7. _____
8. _____
9. _____
10. _____

Copyright © McDougal Littell, a division of Houghton Mifflin Company.

El imperativo de la primera persona del plural

Una cita. Rosa y su novio van a salir esta noche y ella le pregunta qué van a hacer. Usa las palabras entre paréntesis y el imperativo de la primera persona del plural para contestar sus preguntas.

1. ¿Para qué hora hacemos las reservaciones para el restaurante? (las seis)

_____

2. ¿Invitamos a Jorge para que vaya con nosotros? (no)

_____

3. ¿Vamos en taxi o en tu coche? (mi coche)

_____

En el restaurante

4. ¿Dónde nos sentamos? (lejos de la orquesta)

_____

5. ¿Qué pedimos para tomar? (vino)

_____

6. ¿Comemos pollo o pescado? (pescado)

_____

7. ¿Cuánto le dejamos de propina al mozo? (15 dólares)

_____

8. ¿Vamos al cine después? (No, no al cine, al teatro)

_____

El imperfecto de subjuntivo: Formas y usos

¿Qué quería Alberto? Vuelve a escribir en el pasado lo que se dice de Alberto y de sus hermanos, cambiando los verbos que están en el presente de subjuntivo al imperfecto de subjuntivo.

1. Alberto quiere que yo vaya a Madrid y hable con el dibujante comercial. También quiere que traiga los emblemas y los deje en su escritorio.

Alberto quería _____

_____

También quería _____

Copyright © McDougal Littell, a division of Houghton Mifflin Company.

2. Alberto se alegra de que sus hermanos vengan a pasar la Nochebuena con él, pero siente que sus padres no puedan venir. Él espera que Silvia y yo tengamos tiempo para ayudarlo a envolver los regalos.

Alberto se alegró _____

Él esperaba _____

3. Alberto les sugiere a sus hermanos que vean el telediario de las diez y que no dejen de escuchar el discurso del alcalde. Les recomienda también que graben la conferencia de prensa por la noche.

Alberto les sugirió _____

Les recomendó también _____

El imperfecto de subjuntivo en oraciones condicionales

Si... Completa las oraciones condicionales, usando el imperfecto de subjuntivo. Utiliza las frases dadas, según convenga.

ellos / salir a las siete	tú / estudiar más	tú / ponerte el abrigo
nosotros / tener dinero	tú / darme su número	ella / ser mi hija
él / estar enfermo	ellas / pedirme dinero	

1. _____, compraríamos ese coche.

2. _____, llegarían a las ocho.

3. _____, sacarías mejores notas.

4. _____, yo podría llamarla.

5. _____, yo no le permitiría salir sola.

6. _____, yo lo llevaría al médico.

7. _____, yo no se lo daría.

8. _____, no tendrías frío.

Copyright © McDougal Littell, a division of Houghton Mifflin Company.

El pretérito perfecto de subjuntivo

Minidiálogos. Completa los siguientes minidiálogos, usando el pretérito perfecto de subjuntivo de los verbos dados.

1. —¿Dónde están los chicos? Espero que ya _____ (volver) del

   aeropuerto.

   —No creo que _____ (llegar) todavía.

   —¡Ay! Temo que Teresa no los _____ (encontrar).

2. —¿Hay alguien aquí que _____ (estar) en Sevilla?

   —No, aquí no hay nadie que _____ (viajar) a España.

3. —¡Ojalá que Daniel _____ (poder) ir a Barcelona!

   —Dudo que _____ (ir) porque tiene mucho trabajo.

   Además, él siempre dice que no le gusta viajar.

   —¡No es verdad que él _____ (decir) eso!

4. —Ustedes deben estar muy cansados, porque nadie los ha ayudado.

   —¡Vamos! No es cierto que nosotros _____ (hacer) todo el trabajo

   solos.

5. —¿A qué cine vamos?

   —Al cine Rex. A menos que tú ya _____ (ver) la película que

   pasan hoy.

El pluscuamperfecto de subjuntivo

¿Qué había pasado? Vuelve a escribir las oraciones, cambiando los verbos al pluscuamperfecto de
subjuntivo.

1. Ellos no habían visto el programa de concurso.

   Fue una lástima que _____

2. Nosotros habíamos vivido en España.

   Te dije que no era verdad que nosotros _____

   _____

Copyright © McDougal Littell, a division of Houghton Mifflin Company.

3. Tú habías obtenido el papel principal.

Tus padres se alegraron de que tú _____

4. Yo les había dicho la verdad.

Ellos dudaban que yo _____

5. Marta había estado en la manifestación.

Yo temía que Marta _____

El pluscuamperfecto de subjuntivo en oraciones condicionales

Minidiálogos. Completa los siguientes minidiálogos, usando el pluscuamperfecto de subjuntivo.

1. —No fuiste a la fiesta de Marisol.

—No me invitaron. Si me _____ (invitar), habría ido.

2. —No compraste la videocasetera.

—La habría comprado si _____ (tener) suficiente dinero.

3. —Ustedes no entrevistaron al gobernador.

—Lo habríamos entrevistado si él _____ (estar) en el hotel.

4. —No fuiste al baile.

—Habría ido si tú me _____ (decir) que Elenita iba a estar allí.

5. —Sergio no quiso visitar los museos.

—Yo creo que habría ido si nosotros lo _____ (llevar).

6. —Elena me dijo que estaba muy cansada.

—Sí, ella habla como si _____ (hacer) todo el trabajo ella sola.

Vocabulario

A. Combina las dos columnas.

QUIÉNES

1. el gobernador _____

2. los trabajadores _____

3. los televidentes _____

4. ese actor _____

5. dos escritores _____

6. el reportero _____

7. los locutores _____

8. el pueblo americano _____

9. el dibujante comercial _____

10. los adolescentes americanos _____

11. los bomberos _____

12. el niño _____

LO QUE HICIERON

a. entrevistó al alcalde

b. eligió un nuevo presidente

c. hizo el papel de amante

d. apagaron el incendio

e. hablaron de las elecciones

f. tienen poder adquisitivo

g. pasan cinco horas al día mirando la tele

h. diseñó un nuevo emblema

i. se va a postular para presidente

j. escribieron el guión

k. miró dibujos animados

l. se han declarado en huelga

Copyright © McDougal Littell, a division of Houghton Mifflin Company.

B. Escoge la respuesta correcta.

1. ¿Qué es La Rueda de la Fortuna?

   a. Un programa infantil.　　　　　**b.** Un programa de concursos.

2. ¿Tú suprimirías los programas violentos?

   a. No, no creo en la censura.　　　**b.** No, no creo en la actuación.

3. ¿Has leído todo el periódico?

   a. No, sólo el gobierno.　　　　　**b.** No, sólo los titulares.

4. ¿Qué hubo ayer?

   a. Una manifestación.　　　　　　**b.** Una envoltura.

5. ¿Qué hicieron cuando oyeron el discurso?

   a. Aplaudieron.　　　　　　　　　**b.** Encendieron.

6. ¿Qué opinas del café Folgers?

   a. Es un buen lema.　　　　　　　**b.** Es una buena marca.

7. ¿Cuál es el mejor medio de difusión?

   a. La prensa.　　　　　　　　　　**b.** El presentador.

8. ¿Por qué no se vendió mucho ese producto?

   a. Porque no tiene programación.　**b.** Porque tiene mucha competencia.

Copyright © McDougal Littell, a division of Houghton Mifflin Company.

C. Crucigrama

HORIZONTAL

3. Hay dos ____ para gobernador.

5. No le interesa la ____ pública.

8. El ____ del alcalde fue interesante.

9. *Days of Our Lives* es una ____ muy popular.

13. fuego

14. programas para niños: programas ____

15. Tenemos elecciones para ____ al nuevo gobernador.

18. El ____ de televisión que prefiero ver es el cuatro.

23. Para vender un producto se necesita una buena ____ .

24. Quiere ser presidente. Va a ____ en las próximas elecciones.

25. telediario

26. Hay demasiados anuncios ____ en la televisión.

27. lo opuesto de "apagar"

Copyright © McDougal Littell, a division of Houghton Mifflin Company.

VERTICAL

1. En la Florida hay huracanes y en California hay ____.
2. aparato de video
4. persona que mira televisión
6. El gobernador va a dar una ____ de prensa hoy.
7. Los ____ apagan los fuegos.
8. La televisión y la prensa son medios de ____.
10. *Mickey Mouse* es un programa de dibujos ____.
11. Necesito el ____ remoto.
12. Los empleados no vinieron a trabajar porque están en ____.
16. Él quiere la ____ de televisión.
17. masculino: alcalde; femenino: ____.
19. representar
20. Ella tiene el ____ principal en la obra de teatro.
21. presentador
22. Voy a ____ el programa para verlo más tarde.

D. Para escribir. Explica el formato o la trama de tu programa de televisión favorito: ¿Qué día y a qué hora se transmite? ¿Quiénes son los protagonistas y qué les pasa? (Si no miras televisión, explica la razón y lo que haces en lugar de mirarla.)

_____

_____

_____

_____

_____

_____

_____

_____

_____

_____

_____

_____

_____

Copyright © McDougal Littell, a division of Houghton Mifflin Company.

ACTIVIDADES PARA EL LABORATORIO

Gramática

A. The speaker will make statements. Change them to **tú** commands. The speaker will verify your response. Repeat the correct answer. Follow the model.

MODELO: Tienes que escribir el lema.
Escribe el lema.

Now listen to the new model.

MODELO: No debes escribirlo.
No lo escribas.

B. Answer the questions, using the first person plural command and the cues provided. The speaker will verify your response. Repeat the correct answer. Follow the model.

MODELO: ¿Dónde nos sentamos? (aquí)
Sentémonos aquí.

C. Say what the people mentioned told others to do, using the cues provided and the imperfect subjunctive. The speaker will verify your response. Repeat the correct answer. Follow the model.

MODELO: Sergio me dijo: Habla español.
Sergio me dijo que hablara español.

D. Change the following *if*-clauses to contrary-to-fact statements. The speaker will verify your response. Repeat the correct answer. Follow the model.

MODELO: Si yo puedo, voy.
Si yo pudiera, iría.

E. Change each sentence, using the new beginning and the present perfect subjunctive. The speaker will verify your response. Repeat the correct answer. Follow the model,

MODELO: Ellos han llegado. (Espero)
Espero que ellos hayan llegado.

F. Restate each sentence in the past, using the new beginning and changing the second verb from the present perfect subjunctive to the pluperfect subjunctive. The speaker will verify your response. Repeat the correct answer. Follow the model.

MODELO: Espero que haya terminado. (Esperaba)
Esperaba que hubiera terminado.

Copyright © McDougal Littell, a division of Houghton Mifflin Company.

Diálogos

You will hear five dialogues. Listen to each dialogue twice. Pay attention to their content and also to the pronunciation and intonation patterns of the speakers.

DIÁLOGO 1   OLGA Y ALFREDO

Ejercicio de comprensión. The speaker will ask you some questions about the dialogue. Answer them, always omitting the subject. The speaker will verify your response. Repeat the correct answer.

DIÁLOGO 2   MIRTA Y JORGE

Ejercicio de comprensión. The speaker will ask you some questions about the dialogue. Answer them, always omitting the subject. The speaker will verify your response. Repeat the correct answer.

DIÁLOGO 3   JOSÉ LUIS

Ejercicio de comprensión. The speaker will ask you some questions about the dialogue. Answer them, always omitting the subject. The speaker will verify your response. Repeat the correct answer.

DIÁLOGO 4   FERNANDO Y ALINA

Ejercicio de comprensión. The speaker will ask you some questions about the dialogue. Answer them, always omitting the subject. The speaker will verify your response. Repeat the correct answer.

DIÁLOGO 5   MARTA Y CARLOS

Ejercicio de comprensión. The speaker will ask you some questions about what you heard. Answer them, always omitting the subject. The speaker will verify your response. Repeat the correct answer.

¿Lógico o ilógico?

You will hear some statements. Circle **L** if the statement is logical and **I** if it is illogical. The speaker will verify your response.

1. L I   5. L I   9. L I
2. L I   6. L I   10. L I
3. L I   7. L I   11. L I
4. L I   8. L I   12. L I

Copyright © McDougal Littell, a division of Houghton Mifflin Company.

Nombre _____ Clase _____ Fecha _____

Para escuchar y escribir

Toma nota. You will now hear a preview of the eleven o'clock news. First, listen carefully for general comprehension. Then, as you listen for a second time, fill in the information requested.

EL TELEDIARIO DE LAS ONCE

NOTICIAS NACIONALES

Nombre de la alcaldesa: _____

Ciudad: _____

En Barcelona: _____

En Bilbao: _____

NOTICIAS INTERNACIONALES

En Japón: _____

En la Florida: _____

Nombre de la telenovela: _____

Patrocinador del telediario: _____

ACTIVIDADES DE VIDEO

Mirando la tele

Antes de ver el video

¿Quiénes, dónde, qué...? Para que tú tengas una idea de lo que vas a ver, te damos la siguiente información.

Personajes: Isabel y Carlos

Están en: La sala de su casa

Hablan de: los hábitos de Isabel y de Carlos en cuanto a la televisión • la propuesta de Isabel • lo que ven en el telediario • los dibujos animados

Después de ver el video

¿Quién lo dice? Indica quién dice lo siguiente.

1. ¡Te pedí que limpiaras el garaje y que le pusieras gasolina al coche!

2. Hazme un favor: Apaga el televisor por unos minutos.

3. Además, tú miras tres o cuatro telenovelas todos los días...

4. Bueno, pero hagamos una excepción: el telediario de las diez.

5. Voy a preparar palomitas de maíz.

6. ¡Ajá! ¡Estás mirando dibujos animados!

7. A veces quiero olvidarme de lo que veo en las noticias.

8. A mí también me gustan los dibujos animados.

Comentarios. Con un(a) compañero(a), discutan lo siguiente. Hay cuatro posibilidades: ver un programa de dibujos animados, un programa de concursos, una telenovela o el telediario. ¿Cuál escogen ustedes y por qué?

Tú y yo. Con un(a) compañero(a), hablen de lo siguiente.

1. lo que pueden hacer los padres para que los niños no pasen tanto tiempo mirando televisión

2. lo que ven en el telediario y qué canal tiene los mejores presentadores

3. los dos acontecimientos más importantes que tuvieron lugar la semana pasada

4. cómo se prepararían ustedes para participar en un programa de concursos como *Jeopardy*

Copyright © McDougal Littell, a division of Houghton Mifflin Company.